Photocopiable Workbook

Advanced Level Activities

Written by Stephen Glover

linguascope

Copyright Notice

Written Contents Stephen Glover
Graphic Design Linguascope
Publisher Linguascope

Published by Linguascope, 189 Colchester Road, West Bergholt, CO6 3JY (UK)
Telephone 01206 242473 • Fax: 01206 242262 •
Web site www.linguascope.com

Printed in the UK

ISBN 978-1-84795-116-8

Contents

MERCI POUR LE CHOCOLAT

User guide

Contents

Workbook and PowerPoints*
• Reactions to film
• Summary with vocabulary and gapfill exercise
• Context and direct speech
• Character guide adjective practice
• Tensinator multi tense exercise
• The A Factor (including PowerPoints* for teaching passive, subjunctive and present participle)
• Essay writing guide

Objectives of materials

• To revise and build up verb usage with a variety of exercises
• To make the acquisition of vocabulary central to the learning process
• To enable teachers to concentrate on the more creative side of working with the film
• To provide guidance on the art of writing a topic essay on the film
• To give teachers very tangible, substantial pieces of language work to do which will practise a range of skills
• To encourage language learning amongst students using an approach which makes them realize they can achieve
• To provide a solid bank of linguistic and cultural content

Suggested ways of approaching the teaching of a film

Initial steps
• Purchase the film in the French version with French subtitles available on it for the deaf. *
• Purchase the script (*scénario*) for the film if it is available. *
• Watch the film a couple of times including with subtitles and pick out what themes come out of it for you. (Compare with the themes I've identified if you wish).
• Break the film down into logical parts - if you are going to keep stopping the film you are only going to get through 20 minutes or so per lesson, so be realistic.
• Split the summary up to reflect the parts you are dividing it into.

Where there is a context with which the students may not be familiar, you may need to do an introduction.

(* Additional material including PowerPoint presentations, answers and links about the film can be found at www.linguascope.com/films)

Viewing and exploiting the film

Lesson one (assuming hour lessons)
Teach the class how to express initial reactions in an interesting way using the worksheet on reactions if desired. *Ce qui m'a frappé la première fois que j'ai vu le film...* That initial reaction could easily be lost - this is why using 20 minutes of film per lesson will allow you to build up this language.
After showing the 20 minutes or so of film maybe stopping it periodically to ask questions or point out something, you may wish to run quickly through the film summary using maybe the present tense narrative which is frequently the one used for discussing film. Students may be asked to complete the sentences for homework although make sure they are referred to a grammar section/book where they can double check verb forms.

Lesson two
Briefly run through the previously viewed part of the film on x4, pausing just before key events, asking what is going to happen - or just after an event to ask what has happened or just happened. Begin to probe more deeply by asking why, or what aspect of a theme the event demonstrates. By now the students will have the language to do this. On second viewing students could begin noting how particular themes are illustrated.

Lesson three - five
Repeat this process as you work through the film. If knowledge of the present tense seems secure, subsequent use of the summary could move through to perfect/imperfect or practising subordinate clauses using combinations of *après avoir, avant de, en ...... -ant, ce qui, ce que, subjunctive etc.*

Lessons six/seven
By now knowledge of the events of the film should be fairly secure and attention can be turned to building up a picture of the different characters in the film using the character study worksheet which asks students to look at relevant adjectives which might describe particular people.
This is a good opportunity to revise different types of adjectives, agreement and positioning as well as some more sophisticated constructions in which they can be used. There are translation exercises from French to English and English to French on which students can base their own interpretation of the film's characters and motives.

Lesson eight/nine

Using the notes they have made on themes and character students should be given different themes from the film to present. These should ideally be around the key expectations of the examinations for average students although more idiosyncratic and challenging ideas could be presented by the more able. Students could record these initially - you could talk them through the recording saying how their performance matches up to the oral criteria and how to improve (or use French assistant for this).

Lesson ten/eleven

Work through the Tensinator exercise/A factor to ensure that students are aware of how the different tenses relate to each other. You might practise these again with the summary or go back through some key scenes with a particular focus such as saying what you would have done in particular circumstances.

Lesson twelve

An important final activity would be for students to analyse the types of shots and effects being used in the relevant film. Students could choose five of their favourite scenes and discuss the way in which it has been put together by the director.

See links (www.linguascope.com/films) to online materials on techniques.

Lesson thirteen/fourteen

Following on from work on planning a short 200 word essay, more serious work can be introduced on how to plan a slightly longer essay. The essay writing guide is designed to highlight the need for planning carefully. Impress on the students the level of detail required to write a good answer.

All the key points regarding brain storming into a spider diagram, ordering paragraphs and how to put in an introduction and conclusion are addressed.

Themes and Links

Essay titles

- Comment Chabrol engendre-t-il le doute dans le film ?
- Les deux femmes, Mika et Jeanne, dominent-elles l'intrigue du film ?
- Faites une analyse des contradictions dans le caractère de Mika.

Themes

- les secrets que les gens gardent
- la nature du mal
- le caractère et les motivations d'un assassin
- un film qui cache/dissimule autant qu'il ne révèle
- la jalousie
- la société polie et les secrets qu'elle cache
- la vengeance est un plat qui se mange froid

Learning to talk about a film

Giving your first impressions is very important. After you have seen a film a few times you tend to forget the original feelings you had. Make notes using these constructions.

Ce qui/ce que constructions

- Ce qui m'a étonné /choqué au début du film, c'était ...
- Ce qui m'a impressionné/amusé alors que le film a progressé, c'est ...
- Ce qui m'a ému dans la scène entre .... et ....

- Ce que j'ai trouvé très amusant/impressionant au début ...
- Ce que j'ai appris en regardant le film c'est que ...
- Ce que j'ai ressenti comme émotion au début/dans la scène ...

Passive constructions

- J'ai été très impressionné(e) par la manière dont ...
- J'ai été ému(e)/touché(e) par la scène vers la fin où ...
- J'ai été très choqué(e)/surpris(e) de voir que le personnage de ...

The summary of events in the film is designed to help you.

Learn the content of the film after/whilst watching it.
Practise your verbs in a range of tenses. Try completing the verbs in brackets...

a) in the present tense.
b) using a combination of the perfect and imperfect tenses.

You need to go on from this knowledge of the basic plot to look at the themes of the film.

Sommaire des évènements

Marie-Claire et André [se remarier] devant leurs familles. Plus tard Marie-Claire [dire] que cela lui [être] égal. Elle [affirmer] qu'elle n'[être] la fille de personne.	Ça m'est égal • it's all the same to me Affirmer • to state Personne • no one
On [parle] du beau-père d'André, chocolatier obsédé par son métier. André [dire] qu'il [être] content de ne pas devoir le décevoir en refusant de travailler à la chocolaterie.	Obsédé • obsessed Devoir • to have to Décevoir • to disappoint En refusant • by refusing
Monsieur Dufreigne [admirer] André comme pianiste mais pas comme homme. Il [être] content que le couple se [remarier].	
Ils [parler] du caractère des deux conjoints. Marie-Claire [être] une femme de tête.	Un conjoint • a spouse Une femme de tête • a cerebral woman
André et Marie-Claire [vivre] ensemble depuis 3 ans. Guillaume [se présenter] et [dire] qu'il n'[avoir] aucun talent pour la musique ce que les autres [trouver] dommage.	Ne... aucun • none at all Dommage • a pity
Monsieur Dufreigne [penser] que Guillaume [aller] venir travailler à l'usine pour succéder à Marie-Claire sa « belle mère ».	L'usine • the factory Succéder à • to take over from
On [parler] de la mort de Lisbeth l'ancienne femme d'André, mère de Guillaume. Un monsieur le [féliciter] pour l'exposition [organisée par Mika] de photos prises par sa mère.	Féliciter • to congratulate Une exposition • an exhibition
On [comparer] ce mariage « intime » avec le premier très luxueux.	Intime • intimate, modest
Mika [vouloir] s'en aller. Marguerite [arriver] avec un photographe de la presse.	S'en aller • to go away
Le lendemain, dans un restaurant au bord du lac, Louise et Pauline, deux mères [parler] de ce que [faire] leurs enfants Jeanne et Alex dans la vie pendant que ceux-ci [jouer] au tennis. Alex [travailler] dans un laboratoire médico-légal pour Louise Pollet.	Médico-légal • forensic
Après le repas ils [discuter] sur la terrasse. Alex [décrire] son rôle au labo. Quand Pauline [remarquer] l'annonce du mariage elle [évoquer] l'affaire bizarre	Remarquer • to notice Évoquer • to bring up

de la clinique. Il [s'agir] d'un malentendu à la clinique où on a montré une autre fille à Polonski au lieu de son fils Guillaume. On a confondu les noms qui commençaient tous les deux par Pol - Pollet et Polinksi.	S'agir de • to be about Au lieu de • in stead of Un malentendu • a misunderstanding
Jeanne [rêver], pensant qu'elle [être] peut être la fille de Polonski parce qu'ils [jouer] tous les deux du piano.	Rêver • to dream Pensant • thinking
Louise, sa mère [nier] tout cela disant que son vrai père était également un grand artiste.	Nier • to deny Disant • saying
Les deux jeunes [aller] se retrouver pour aller au cinéma.	Se retrouver • to meet up
Jeanne [jouer] du piano à la maison et puis elle [partir] en ville en voiture. Sa mère [s'occuper] de cadavres en tant que médecin médico-légal.	S'occuper • to deal with Un cadavre • a body
Les Polonski [assister] à une exposition de photographie quand Jeanne [arriver] et [regarder] par la fenêtre. Elle [sourire] en voyant Polonski.	Assister • to attend La vitrine • the window Sourire • to smile
A la maison des Polonski Marie-Claire [annoncer] à Guillaume qu'elle [préparer] son chocolat spécial. Il en [vouloir] moins. La porte [sonner] et Jeanne y [paraître]. Elle [dire] qu'elle [vouloir] voir Polonski. Elle [s'annoncer] comme Jeanne « de la clinique »	Moins • less Sonner • to ring Paraître • to appear
André [dire] qu'il ne la [connaître] pas mais elle [se présenter] à lui. Mika [se souvenir] d'elle de la galerie.	Connaître • to know Se souvenir de • to remember
André [se rappeler] l'incident à la clinique. Il [être] intrigué quand elle [dire] qu'elle [être] pianiste.	Se rappeler • to recall
Il [expliquer] comment réussir au concours de piano de Budapest. Mika ne [sembler] pas s'y intéresser.	Expliquer • to explain Réussir • to succeed Sembler • to seem
André l'[inviter] à revenir le lendemain pour lui montrer comment elle [jouer] parce qu'ils [recevoir] des invités ce soir-là.	Le lendemain • the next day Montrer • to show Un invité • a guest
Guillaume [proposer] à Mika de boire quelque chose mais elle refuse. Quelque chose [clocher] entre eux. Mika [proposer] de lui montrer des autoportraits de Lisbeth.	Clocher • to be wrong Entre eux • between them Un autoportrait • a self-portrait
Père et fils [parler] de l'incident à la clinique. Guillaume [avoir] l'air inquiet. André [parler] de la mort inexpliquée de sa femme au volant.	L'air inquiet • looking worried Inexpliqué • unexplained Au volant • at the steering wheeel
Mika [montrer] les photos de Lisbeth à Jeanne et [parler] de leur amitié. Jeanne [faire] des	L'amitié • the friendship

remarques perspicaces.	Perspicace • clear-sighted
Mika [laisser tomber] exprès le thermos de chocolat chaud et [devoir] l'essuyer. Ils [essuyer] par terre ensemble. Elle [s'excuser] de sa maladresse pendant que les invités [arriver].	Laisser tomber • to drop Exprès • on purpose Essuyer • to wipe up La maladresse • the clumsiness
Une des invitées [reconnaître] Jeanne. Mika [découvrir] que la mère de Jeanne travaille à un labo médico-légal.	Reconnaître • to recognize
Guillaume [faillir] pousser Jeanne hors de la maison. Guillaume [se poser] beaucoup de questions et [avoir] peur.	Faillir • to nearly do something Hors • out of
Axel et Jeanne [dormir] ensemble au lieu d'aller au cinéma. Jeanne [évoquer] l'incident soupçonneux du chocolat chaud. Ils [penser] aux raisons pour laquelle Mika l'a fait.	Evoquer • to mention Une raison • a reason Soupçonneux • suspicious
Elle lui [demander] d'analyser les restes du chocolat. Il [promettre] de le faire pour le lendemain.	Les restes • the remains Promettre • to promise
On [passer] d'André qui [s'exercer] pour le lendemain à Jeanne qui [jouer] du piano chez elle.	S'exercer • to practise
Axel [appeler] pour dire que le chocolat [contenir] beaucoup de benzodiazépine, un somnifère (la drogue du viol).	Contenir • to contain La drogue du viol • the rape drug
Axel [suggérer] qu'elle [oublier] la situation.	Oublier • to forget
Réunion de la compagnie chocolatière. Dufreigne, un des directeurs [se plaindre] que la compagnie [devoir] améliorer ses ventes en sponsorisant plus d'activités sociales et sportives plutôt que des centres anti-douleur.	Se plaindre • to complain Améliorer les ventes • to improve the sales En sponsorisant • by sponsoring Anti-douleur • pain relief
Mika [proposer] qu'on [renouveler] l'emballage. « Les apparences c'est tout ce qui [compter] » selon elle. Dufreigne [venir] la voir après la réunion pour fixer un rendez-vous. Elle le [trouver] embêtant.	Renouveler • to modify L'emballage • the packaging Compter • to count Embêtant • annoying
Le Dr Pollet et Mika [se réunir] à l'hôpital. Mika [vouloir] la voir au sujet de Jeanne. Le Dr Pollet nous [regarder] de front et Mika ne [pouvoir] pas voir ses réactions.	Se réunir • to meet De front • head on
Le Dr Pollet [dire] que c'est le père de Jeanne qui lui [manquer]. Elles [discuter] des possibilités d'échange et s'il y a eu des tests sanguins.	Manquer • to miss Un test sanguin • a blood test
Mika [proposer] d'aider à sponsoriser l'institut. Leur rendez-vous [être] très crispé. Quand elle [rentrer], Jeanne et André [travailler] déjà. Elle [monter] dans la chambre de Guillaume et [regarder] fixement le portrait de Lisbeth.	Crispé • tense Regarder fixement • to stare
André et Jeanne [écouter] la marche funèbre ensemble pendant que Mika [préparer] du chocolat avec Marguerite. Elle l'[apporter] dans la salle de répétition.	La marche funèbre • the funeral march Apporter • to bring
Ils [parler] de la visite chez le Dr Pollet et de l'effet	Produire un effet • to have an effect

produit sur Guillaume qui a disparu.	
En sortant elle [croiser] Guillaume qui l'[accuser] d'être folle quand elle [parler] de l'analyse du chocolat. Ils [finir] par parler de la mort de sa mère le jour de son dizième anniversaire.	Croiser • to come across Fou/folle • mad Finir par • to end up (doing)
Il [décrire] le jour de son retour à la maison de Mika et de sa cheville tordue. Il [commencer] à pleurer.	Décrire • to describe La cheville tordue • twisted ankle Pleurer • to cry
Il [évoquer] le jour de la mort de sa mère. Son père n'avait plus de somnifères et sa mère était allée en chercher.	Evoquer • to mention Les somnifères • sleeping tablets
Mika et André [parler] de la performance de Jeanne et comment elle [rajeunir] André. André [vouloir] faire l'amour mais il [être] trop fatigué.	Rajeunir • to make young Faire l'amour • to make love
Pendant qu'André [dormir] Mika pense du soir de la mort de Lisbeth. Elle [penser] inviter Jeanne à venir passer du temps à la maison.	
Le lendemain elle [appeler] Louise pour inviter Jeanne. Mère et fille [parler] de la motivation des Polonski. Louise [avoir] toujours peur que Jeanne se prenne (subj) pour la fille de Polonski.	Avoir peur • to be afraid
Louise [avouer] que son mari n'était pas son père ce qui [choquer] Jeanne. Jean son mari était stérile et le couple avait eu recours à l'insémination artificielle.	Avouer • to confess Choquer • to shock
Louise [s'excuser] de son manque de franchise. Jeanne l'[accuser] de lui cacher beaucoup de choses.	Manque de franchise • lack of honesty Cacher • to hide
Mika [sortir] de la maison et [trouver] Guillaume en train de cueillir des escargots à manger. Alors que Mika [partir] Guillaume [regarder] fixement un escargot.	Cueillir • picking Un escargot • snail
Au bord du lac Mika [fixer] un rendez-vous avec Dufreigne pour dimanche.	
Axel [emmener] Jeanne à la maison des Polonski mais Axel [se plaindre] qu'elle et sa mère [sembler] troublées.	Emmener • to take someone somewhere Se plaindre • to complain
Jeanne [trouver] difficile de jouer mais André [essayer] de la rassurer. Guillaume les [appeler] pour le dîner.	Rassurer • to reassure
André [continuer] de parler piano pendant le repas. Mika [s'occuper] du repas, ce qui nous [préoccuper].	S'occuper de • to look after Préoccuper • to worry
Guillaume [suggérer] qu'il y [avoir] de la tension entre Jeanne et sa mère. Mika [dire] qu'elle a été adoptée elle-même.	
Une fois seule avec Guillaume, Mika [suggérer] que	

Jeanne et lui feraient un bon couple ce qui le [choquer]. Mika [dire] que Jeanne [ressembler] à Lisbeth.	Feraient • would make Ressembler • to ressemble
Elle [laisser] tomber exprès une casserole d'eau chaude sur le pied de Guillaume.	Exprès • on purpose
André et Jeanne [jouer] ensemble.	
Mika [soigner] le pied de Guillaume disant qu'elle aime faire cela.	Soigner • to treat Disant • saying
Jeanne [faire] une remarque à Guillaume à l'égard de Mika. Tout le monde [s'occuper] de lui.	
Mika [proposer] du saumon pour le dîner et [inviter] Jeanne à venir aux magasins.	Proposer • to suggest
Guillaume [regarder] la télé en fumant pendant que Mika [rentrer] avec des paquets.	En fumant • smoking
Elle [regarder] froidement jouer André et Jeanne et [offrir] deux vidéo à Guillaume.	Offrir • to give (as a present)
Après le dîner Mika [arriver] avec le chocolat que Guillaume [refuser]. Elle [annoncer] que Jeanne [faire] la vaisselle.	Faire la vaisselle • to do the washing up
André [demander] ses somnifères que Mika [dire] avoir oubliés. Jeanne [proposer] d'aller les chercher et puis Guillaume [proposer] de l'accompagner à la pharmacie.	
Guillaume et Jeanne [descendre] en ville ensemble.	
Quand André [entrer] dans la cuisine Mika [laver] les tasses ce qui l'[irriter]. Il [dire] qu'elle a lavé les verres le jour de la mort de Lisbeth.	
Jeanne [demander] pourquoi Guillaume a échangé les tasses. Il [soupçonner] Mika.	Échanger • to swap Soupçonner • to suspect
André [appeler] Louise pour lui demander de téléphoner à Jeanne pour l'avertir de s'arrêter.	Avertir • to warn S'arrêter • to stop
Jeanne [dire] qu'elle [se sentir] fatiguée mais Guillaume ne [faire] rien et la voiture [finir] par rentrer dans un mur.	Se sentir • to feel Ne…rien • nothing Rentrer dans un mur • to run into a wall
Mika [avouer] à André qu'elle [aimer] pervertir le bien et qu'elle [aimer] la violence. André lui [demander] ce qu'elle a fait.	
Elle [avouer] avoir mis du rahypnol dans le verre de Lisbeth. André [continuer] à demander ce qu'elle a fait ce soir-là.	
Le téléphone [sonner] et André [annoncer] que Guillaume et Jeanne ne [être] pas morts et [se trouver] au commissariat.	Le commissariat • the police station
André [recommencer] à jouer du piano tandis que Mika [pleurer].	Pleurer • to cry

Reported Speech

Identifiez quelle bulle correspond à quel personnage dans la case à droite.

Vous vous consacrez à la musique vous aussi ? --------

Vous avez une belle petite fille. --------

Si Polonski est ton père je ne suis pas ta mère. --------

Vous pouvez revenir demain. --------

Il faut réparer ses bêtises. --------

Tu crois que tu es sa fille ? --------

Je ne veux pas que les gens souffrent. --------

Tu crois ce que tu veux. --------

Mon mari n'était pas ton père non plus. --------

Tu sais que quand j'avais ton âge je voulais être infirmière. --------

Le soir de la mort de Lisbeth tu as lavé les verres. --------

Qu'est-ce que tu fais ? --------

J'ai une vrai puissance dans ma tête. Je calcule tout. --------

1. Louise Pollet à sa fille

2. André à Mika dans la cuisine

3. André à Jeanne

4. Louise Pollet à sa fille avant son depart chez les Polonski

5. Mika à la reunion

6. L'infirmière à André à la Clinique après la naissance de Guillaume

7. Mika après avoir renversé le chocolat par terre.

8. Guillaume à Jeanne quand elle va à sa voiture

9. Mika à Guillaume en le soignant

10. Mika après le coup de téléphone au sujet de l'accident

11. Dufreigne à Guillaume à la réception

12. André à Mika après le départ de Jeanne et de Guillaume

13. Jeanne à Guillaume après avoir parlé de Mika

MERCI POUR LE CHOCOLAT

Using the exact words from the script of the film complete using reported speech the sentences in the rectangles.

Vous vous consacrez à la musique vous aussi ?

Le vieux Dufreigne demande à Guillaume s'_ _ _ _ _ _ _ _ _ _
_ _

L'infirmière dit à André qu' _ _ _ _ _ _ _ _ _ _ _ _ _ _ _ _ _
_ _

Vous avez une belle petite fille.

Si Polonski est ton père je ne suis pas ta mère.

Louise Pollet dit à Jeanne que _ _ _ _ _ _ _ _ _ _ _ _ _ _ _ _
_ _

Après avoir parlé à Jeanne, André dit qu' _ _ _ _ _ _ _ _ _ _
_ _

Vous pouvez revenir demain.

Tu crois que tu es sa fille ?

Guillaume demande à Jeanne _ _ _ _ _ _ _ _ _ _ _ _ _ _ _ _ _
_ _

A la réunion Mika dit qu' _ _ _ _ _ _ _ _ _ _ _ _ _ _ _ _ _
_ _

Je ne veux pas que les gens souffrent.

Jeanne dit à Guillaume de ____________________
____

Tu crois ce que tu veux.

Mon mari n'était pas ton père non plus.

Louise Pollet dit à Jeanne que ________________
____

En soignant Guillaume, Mika dit ________________
____

Quand j'avais ton âge je voulais être infirmière.

Le soir de la mort de Lisbeth tu as lavé les verres.

André dit à Mika que ________________________
____

L'air hébété, André demande à Mika ____________
____

Qu'est-ce que tu fais ?

J'ai une vrai puissance dans ma tête. Je calcule tout.

Après la nouvelle de l'accident Mika dit qu' __________
____

Adjectifs qui décrivent le caractère

Traduisez les adjectifs en anglais et puis trouvez l'antonyme

Accueillant/e		
Ambitieux/euse		
Calculateur/trice		
Compatissant/e		
Curieux/euse		
Cynique		
Dédaigneux/euse		
Déloyal/e		
Doué/e		
Effrayant/e		
Effronté/e		
Egoïste		
Franc/he		
Froid/e		
Généreux/euse		
Gentil/le		
Impulsif/ive		
Insolent/e		
Intrigant/e		
Jaloux/jalouse		
Meurtrier/ière		
Mystérieux/euse		
Pitoyable		
Poli/e		
Reconnaissant/e		
Rêveur/euse		
Sadique		
Soupçonneux/euse		
Travailleur/euse		
Vengeur/euse		

Comment parler du caractère de quelqu'un - Traduisez les phrases en anglais

On découvre/se rend compte/apprend/voit que Mika est très cynique quand elle insulte son vieux collègue.	
Mika révèle/nous fait voir/montre qu'elle est cynique en insultant son vieux collègue.	
Au début du film on a l'impression que Mika est une personne très gentile pourtant alors que l'intrigue progresse/se développe on se rend compte qu'en fait/en réalité elle est calculatrice.	
La manière dont Mika parle à Guillaume nous fait penser qu'elle est très généreuse mais en réalité elle lui en veut pour quelque raison.	
Quand/Lorsque Jeanne entend l'histoire de l'échange à la clinique il est évident qu'elle est curieuse de faire connaissance du pianiste célèbre.	
D'une part Jeanne paraît/semble très jeune/innocente en présence de sa mère, d'autre part elle devient beaucoup plus adulte quand elle est avec son copain Axel.	
Bien qu'elle soit impertinente en allant chez les Polonski, elle réussit à les persuader qu'elle est une personne bien.	

Faites vos propres exemples de phrases parlant des traits de caractère de Mika et de Jeanne

Qu'est-ce que ces observations nous apprennent du caractère des protagonistes ?	
Louise Pollet ne révèle pas à sa fille la vraie identité de son père.	
Mika laisse tomber de l'eau bouillante sur le pied de Guillaume.	
André veut aider Jeanne à réussir au concours de musique.	
Mika veut sponsoriser autant de centres anti-douleur que possible.	
Guillaume ne veut pas que Jeanne vienne à la maison.	
André va jouer au piano quand il sait que Jeanne et Guillaume sont sains et saufs.	

Traduisez ces phrases en français	
At the start of the film Jeanne seems very innocent. As the film progresses we realize that she is Axel's lover.	
Although Jeanne's mother is very professional she is also naive thinking that she can hide her daughter's true identity from her.	
Guillaume is much less hardworking that Jeanne and jealous of her talent when his father starts to help her.	
Mika shows us that she is sadistic by spilling boiling water onto Guillaume's foot.	

the Tensinator

Translate the sentences for each tense into English. Make sure you understand how the tense is made up, then create your own examples using a range of regular and irregular verbs.

Pluperfect

Après avoir visité Louise Pollet au labo medico-légal, Mika lui avait proposé une subvention pour le centre.

Suivant son divorce d'André, Mika avait attendu le bon moment pour tuer sa nouvelle femme, Lisbeth.

Perfect

Le soir de la mort de Lisbeth, Mika lui a proposé une tasse de chocolat.

Mika a attendu sans émotion la nouvelle de la mort de Jeanne et de Guillaume.

Imperfect

Mika proposait du chocolat chaud à André et à Guillaume tous les soirs.

Après son remariage avec André, Mika attendait impatiemment le bon moment pour faire du mal au fils de Lisbeth.

Present

Mika propose du chocolat à tout invité à la maison.

Mika attend le bon moment pour se venger.

Future

Je lui proposerai du chocolat quand elle arrivera.

J'attendrai le bon moment pour me venger.

Conditional

Je proposerais à Jeanne de venir chez nous si je pensais que cela l'aiderait.

Personnellement si j'étais tellement jaloux, je n'attendrais pas si longtemps pour agir.

Conditional Perfect

Si Mika n'avait pas voulu faire du mal à Jeanne elle ne lui aurait pas proposé du café dopé.

Si j'avais été Mika, j'aurais attendu un meilleur moment pour tuer mes ennemis.

The « A » Factor

What is the A factor ?

To have the A factor you need to be able to show off your talents on the oral and essay stage with a range of grammar and constructions which will knock the judges', er markers' socks off. The good news is that a lot of the language you can use is really quite straight forward. Practise this language in context and you're winning through to the next round-no problem.

Present participle   en ....ant

If you are telling part of the story to illustrate a point it is good practice to use the present participle to vary the style of your speech or writing. In the first example it means "On opening / As she opens"... In the second example it means "by doing".

> The present participle is made from the nous part of the present tense, minus the -ons ending with an -ant added. There are of course irregulars but not too many (être- étant / savoir - sachant).

1. Quand Pauline ouvre le journal, elle voit l'annonce du mariage de Mika et d'André.

En ouvrant le journal, Pauline voit l'annonce du mariage de Mika et d'André.

2. Alex aide Jeanne à découvrir la vérité ; il fait une analyse du chocolat.

Alex aide Jeanne à découvrir la vérité en faisant une analyse du chocolat.

1. Quand Alex et Jeanne sortent ce soir-là, ils couchent ensemble.

En ....

2. Quand André est arrivé à la clinique, il a vu Jeanne au lieu de Guillaume.

En ....

3. Jeanne montre qu'elle est courageuse quand elle va chez les Polonski.

Jeanne montre qu'elle est courageuse en ....

4. Mika montre qu'elle a changé d'avis quand elle renverse le thermos de chocolat chaud .

Mika montre qu'elle a changé d'avis...

5. Guillaume est agressif envers Jeanne. Il révèle son manque de confiance en lui.

En ...., Guillaume révèle son manque de confiance en lui.

6. Mika se mêle des affaires de Jeanne quand elle va chez sa mère.

Mika se mêle des affaires de Jeanne en ....

7. Quand elle propose d'aller chercher les médicaments d'André Jeanne révèle qu'elle n'a pas peur de Mika.

En..

Passive voice

How is the passive made? Simple! The appropriate part of the verb être is used in whatever tense and the active verb is put into the past participle with agreement for gender (e) and/or plural (s). See the PowerPoint.

See the PowerPoint for more information on the passive

Convert the following events in the film into the passive

1. La révélation de l'erreur à la clinique irrite Louise Polet.

Louise Polet est ....

And try it in the perfect

Louise Polet a été..

2. Mika organise l'exposition des photos de Lisbeth.

L'exposition des photos de Lisbeth ....

Perfect

L'exposition des photos de Lisbeth ....

3. On invite Jeanne à revenir jouer pour André le lendemain.

Jeanne ....

4. L'arrivée de la jeune femme douée au piano agace Guillaume .

Guillaume ....

5. Mika a dopé le chocolat chaud de benzodiazépine, un somnifère.

Le chocolat chaud ....

6. Mika sponsorise beaucoup de centres anti-douleur par l'intermédiaire de sa compagnie..

Beaucoup de centres anti-douleur ....

7. Mika compare Jeanne à Lisbeth parce que selon elle, elle lui ressemble.

Jeanne ....

8. André a accusé Mika d'avoir empoisonné sa femme quand il la voit laver les tasses.

Mika ....

Subjunctive

Using the subjunctive in all its various subtleties can take years of study and gradual understanding of its finer points. However, all students can manage some of the more common usages, although you should beware of "getting it in" just for the sake of it. **See PowerPoint for more information.**

Two of the more common usages of the subjunctive mood are following

Il faut que and **Vouloir que**

To form the subjunctive is not difficult. Take the third person plural (ils) of the present tense. Remove the ending and add Je -e Tu -es il/elle/on -e, nous -ions vous -iez ils/elles -ent

Unfortunately this means that when you use the subjunctive of some verbs you can actually tell the difference in the case of er verbs for instance.

Il faut que tu manges - You have to eat

Je veux qu'ils réparent la voiture I want them to repair the car

In regular -re verbs you can tell it's being used:

Je veux que tu attendes - I want you to wait

The more common irregular verbs have quite different forms from which the subjunctive is built

Être - je sois, tu sois, il/elle/on soit, nous soyons, vous soyez, ils/elles soient

Faire - je fasse, tu fasses, il/elle/on fasse, nous fassions, vous fassiez, ils/elles fassent

Vouloir que - to want someone to do something (change of subject)

1. Guillaume ne veut pas que Jeanne (venir) à la maison.

2. La mère de Jeanne ne veut pas que son amie (faire) allusion à l'erreur de la clinique.

3. Mika ne veut pas que Guillaume (savoir) qu'elle le déteste parce qu'il n'est pas le sien.

4. En renversant de l'eau chaude sur Guillaume Mika veut qu'il (avoir) mal.

Il faut que - it is necessary (for something to happen)

5. Il faut qu'Alex et Jeanne (être) discrets à l'égard de leurs rapports.

6. Il faut qu'Alex (faire) l'analyse du chocolat pour voir ce qu'il contient.

7. Il faut qu'Alex (descendre) en ville chercher les médicaments d'André.

8. Il faut qu'André (attendre) patiemment même quand il sait qu'Alex et Jeanne risquent d'être tués.

And one for good luck **pour que** - in order that/ so that

9. Peut-être que Mika organise l'exposition de photos pour qu'André (être) rassuré de ses bonnes intentions.

10. Jeanne va chez les Polonski pour qu'elle (pouvoir) faire la connaissance de l'homme qui pourrait être son père.

11. Mika dope les boissons de nouveau pour que Jeanne (avoir) un accident.

12. Louise n'a pas dit la vérité à Jeanne pour qu'elle ne (savoir) pas qui est son père biologique.

Essay Plan

Essay **title**: Write this down and underline the key words and phrases. Keep referring to it.
Analysez l'impact de Jeanne Polet à son arrivée chez les Polonski.

Point A

- Jeanne s'impose dès son arrivée - malgré réponse négative d'André quand elle arrive - elle se présente quand-même.
- Attitude effrontée - égoïste.

Point B

- Charme Mika qui lui montre des photos de Lisbeth.
- Les soupçons de Jeanne - chocolat chaud dopé - mettent en route l'intrigue.
- D'un invité à la maison elle devient détective.

Point C

- Jeanne « rajeunit » André avec leurs répétitions - est-ce que ceci énerve Mika?
- Selon Guillaume elle ressemble à sa mère et essaie de le remplacer.
- Rend Guillaume jaloux - elle explique que son chocolat chaud est dopé.

Ideas to contextualise question for the **introduction**. Saying what you are going to say. *Le comportement de Jeanne qui domine le film à tout moment tandis que Mika a des pensées noires - c'est Jeanne qui découvre ce que Mika fait/a fait.*

Ideas for **conclusion.** Summing up of your opinions as expressed in the body of the essay with no new points. *Le film est plein de secrets - quelques-uns révélés et certains non - Jeanne est au coeur du secret - elle en garde et elle en découvre. Typique de la vie ou le mensonge et la discrétion co-existent.*

Point D

- Mika semble vouloir aider Jeanne en l'invitant à rester chez eux.
- Curieuse de savoir si la mère de Jeanne sait davantage sur l'identité de sa fille - visite chez Louise pendant qu'elle travaille.
- Suggère même que Jeanne et Guillaume feraient un bon couple.
- Evident que Mika veut la tuer - par jalousie ? Parce qu'elle ressemble trop à Lisbeth.

Point E

- S'allie enfin avec Guillaume qui explique les évènements de la nuit de la mort de sa mère.
- Accepte de descendre chercher les somnifères d'André malgré le fait qu'elle sait ce qui s'est passé la dernière fois.
- Quel est son rôle dans le film? On se demande si elle sera la prochaine victime ? Espère-t-on la voir mourir parce qu'elle n'est pas un personnage très sympathique ?

Point F

- Contraste bizarre entre Jeanne - égoïste, ambitieuse et proactive et Mika serviable, apparemment gentille, mais avec une mission secrète.

Keep your points separate, adding to them as new ideas come into your head. Only use brief note form to help you remember. For a 400 word essay you may well only want half a dozen points, each well illustrated with examples.

Use arrows between the points to show interrelationships - which points are logically connected. You can then organize the paragraphs in the same order. Use arrow from the Draw menu (shapes)

Introduction - Set the context of the essay, referring explicity to the title.
Say what you are going to say clearly. The content you use may refer to other works by the cineaste, to the historical period, the social setting - whatever seems to flow naturally into what you are going to write/have written.

Paragraphe 1 - First sentence should set the scene for the paragraph providing analysis of how it answers the question.
Following sentences should be consistent with the first sentence and offer illustration of the point made.

Paragraphe 2 - First sentence should lead on logically from previous paragraph saying whether it adds to the previous set of ideas or maybe contradicts them.

Paragraphe 3

Tip
Write on alternate lines then it is easier to edit your work in the exam.

Paragraphe 4 ++

Conclusion - It should summarise your findings, not adding new ideas but pulling together your analysis of the question.

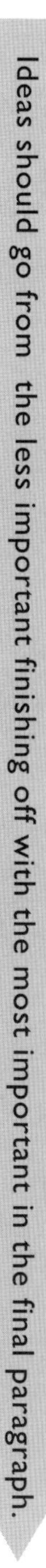

Notes